숲속의 작은집

숲속의 작은 집

발 행 | 2024년 1월 18일
저 자 | 김영배
펴낸이 | 한건희
펴낸곳 | 주식회사 부크크
출판사등록 | 2014.07.15.(제2014-16호)
주 소 | 서울특별시 금천구 가산디지털1로 119 SK트윈타워 A동
305호
전 화 | 1670-8316
이메일 | info@bookk.co.kr

ISBN | 979-11-410-6687-1

www.bookk.co.kr

숲속의
작은집

김영배

차례

제1부 ; 두계산막杜溪山幕

1
숲속 작은 집에
가만히 앉아
조곤조곤 내리는 빗소리를
듣고 있자니
내가 많이 행복합니다

그 행복이 어디서 오나
곰곰 생각해보니
9할이 당신입니다
나머지도 대부분은
당신입니다

조금씩 가늘어지는 빗소리에
생각도 조금씩 가늘어지고
그러다가 마지막으로
남은 생각 하나
당신을 사랑합니다

2018년 4월 22일
비오는 숲속 작은 집에서
김영배가 황진아 님께 고백합니다

2
오래 된 꿈이 하나 있었지
숲속 계곡 옆에
작은 집을 짓자는

책으로
음반으로
술병으로
벽을 하나씩 가득 채우고
앞쪽엔 큰 창문을 내자는

세월 지나 꿈처럼 집을 지었지
하지만 모든 것을 다 가져갈 순 없었어

처음엔 술을 버렸지
숲에 취했으니까
다음엔 책을 버렸지
숲이 보였으니까
마지막엔 음반을 버렸지
숲이 들렸으니까

이젠
숲속 작은 집
창가에 앉아
그저
하염없이
하늘만 바라보네

3

저녁엔 무조건 삼겹살이야
멧돼지가 쳐들어오지 않을까?
걱정 마, 불냄새를 싫어하니까

아침엔 김치찌개가 좋아
냄새가 너무 심한가?
창문을 좀 열어야겠어

점심엔 라면이지
슬슬 떠날 준비를 해야 해
빨리 돌아가야지

숲속 작은 집에선
시간이 참 빨리도 가네

4
숲속 작은 집에선
어둠이 진짜로 어둡다
구멍이 숭숭 뚫린 하늘을 보면
금방 안다

숲속 작은 집에선
빛이 진짜로 빛난다
나뭇잎에 부딪히는 눈부심을 보면
금방 안다

숲속 작은 집에선
새들이 떠들어도 고요하고
계곡물이 시끄러워도 적막하다

바람마저
소리없이 지나가고
흔적마저 남기지 않는다

5

숲속 작은 집에선
새벽보다 반가운 것은 없다

어둠의 비늘들이
하나씩 벗겨지는 신비

빛의 물감들로
하나씩 드러나는 경이

새들이 먼저 알고
소란 피운다

6
약간의 두려움
약간의 설레임
숲속 작은 집으로 가는 길은
작은 모험이다

조그만 절벽을 지나고
멧돼지 목욕탕을 지나고
마지막으로 개울 하나를 건너면
새 둥지보다 조금 큰
숲속의 집

시간은 이제
해와 함께 흐르고
나는 드디어
내가 된다

7
에어울프가 뭔지 알아?
옛날 미든데
엄청 센 전투용 헬리콥터야

목숨 건 전투를 마친 남자
혼자 돌아가 쉬는 곳이
숲속의 작은 집

집 앞엔 큰 호수가 있고
남자는 호숫가에 앉아
첼로를 연주하지

독수리는
호수 위를 날으고
물고기를 사냥하고
첼로는
묵직하게
호수 위로 퍼져 나가고

그게 왜?
멋졌다고!

8
박신혜하고 소지섭하고
숲속 작은 집에 간다고?
깜짝!
설마?
스캔들?

근데
따로따로네
에이! 그럼 그렇지

박신혜는 말이 많은데
이쁘다
소지섭은 말도 적은데
간지난다

숲속의 작은 집
나도 갈란다

9

당신이 그랬습니다
예전에 나 때문에
많이 아팠다고

생각해보니
내 잘못이 맞습니다
변명의 여지가 없습니다

하지만
그때도 지금도
당신을 사랑합니다
그것만은 진심입니다

용서하라고 하진 않겠습니다
다만
그만큼 더 사랑하려 합니다

이젠
아프지 않도록
행복해지도록
사랑하겠습니다

내 삶은
당신으로 인해 빛이 나는데
당신의 삶도
나로 인해 빛 나도록
진짜 사랑을
이제 시작하려 합니다

숲속 작은 집
어둠 속에 앉아서
당신을 생각합니다

10
숲속에
비가 온다

나무들은
물빛 화장을 하고

개울물은
잠시 숨을 죽인다

철판으로 만들어진
작은 집 지붕

좋아라고
신나게 떠들어댄다

11
숲속엔 혼자 가야 제맛이다
누구랑 같이 가고도 싶지만
그러면 나를 포기해야 한다

숲속에 혼자 가면
처음엔 조금 무섭다
아직은 이방인이다

조금 있으면
뭘 해야 하지? 마음이 바빠지고
할 일을 마치고 나면 심심해진다

그러다가 어느 순간
아무 생각이 없다
나 또한 숲이 되었다는걸
알기는 안다

12

요즘 시는 암호문이다
뭔가 알아야만 읽을 수 있을 것 같고
그래서 아무도 읽지 않는다
황무지!

차라리 래퍼의 조잘거림이
시에 더 가깝다
시는 솔직해야 시다
스웩!

플로우도 없고
라임도 없는 건
시가 아니다

숲속의 작은 집에선
떠오르는 생각이 모두 시가 된다
가면을 벗으면 사람은 모두 시인이다

13
숲속의 작은 집에선
시간이 제멋대로 간다

할 일을 자꾸 미루면
시간도 자꾸 늘어지고

마음이 바빠 동동거리면
시간도 자꾸 짧아진다

그러다가 가만히 앉아 있으면
시간이 사라져 버린다

14
숲속의 작은 집엔
화장실이 없다

앞, 뒤, 왼쪽, 오른쪽, 그리고 위
땅바닥 위에 다섯 개 벽만 겨우 만들어
화장실도 싱크대도 없다

급할 땐 어쩌냐고?
자연스럽게!

에잇!
상상은 금지!

15
문 앞에 앉아
턱을 괴고
빗소리를 듣는다

같은 구름에서 내려왔을 텐데
모두 다
개성이 다르다

땅바닥에 떨어지는 애들은
좀 무뚝뚝하다
툭툭거린다

지붕에 떨어지는 애들은
철판을 만나 기분 좋은지
통통 튄다

나뭇잎에 떨어지는 애들은
뭐랄까
사르륵거린다고 해야 하나
좀 섹시한 느낌이 든다

누굴 좋아하냐고?
땅바닥에 툭툭 떨어지는 건 마누라 같고
철판 위에서 통통 튀는 건 애인 같고
나뭇잎에 사르륵 유혹하는 건 이쁜 연예인 같
고

그래서?
다 좋지 뭐!

16
나영석 피디는
생긴 건 영 아닌데 (본인 생각은 다를 수도)
참 똑똑하다

내가 야생에서 하룻밤 자면
그냥 캠핑인데
나피디가 일박이일 하면
전설이 된다

나도 하루 세끼 먹는데
나피디의 삼시세끼는
로망이 된다

식당을 해도 유명해지고
뭘 해도 진짜 잘한다

영석아
우리 집에 놀러 올래?
하룻밤 재워 주께
멧돼지 목욕탕 지나서
숲속의 작은 집

17
박신혜는 왼손잡이
손으로 만드는 걸 좋아하나 봐
한가한 시간이면
신발장을 만들고
과일해먹을 만들고

소지섭은 고개를 끄덕이지
좋아하는 고기를 구워 먹고
끄덕끄덕
인터뷰를 하다가
끄덕끄덕
내 말이 맞을 거야
끄덕끄덕

숲속 작은 집에선
누구나
내가 되지
남에게 보여주는 내가 아니라
진짜 내가

18
이름 하나 지어주까?
청와대, 백악관, 뭐 이런

침묵의 집
어때?
먼저 입으로 침묵하라
그리고 마음마저 침묵하라

근데 이름이 무슨 상관
그냥 이대로 좋아
숲속의 작은 집

19
불피우는 드럼통 화로를
처마 밑에 엎어놨더니
떨어지는 빗방울에
둥둥 북소리

적진으로 진군하는
전쟁터도 아니고
땀 흘리며 연주하는
드러머도 아니고

숲속 작은 집
처마 밑에서
비 온다고 비 온다고
둥둥 북소리

20
첫날밤 해질녘
먼 데서 들리는
커다란 짐승의 울음소리

호랑이가 아닐까?
멧돼지도 아닌데!
그럼 도대체 뭘까?
너무 무서워 그냥 집에 가자!

부랴부랴 짐을 싸다가
생각이 바뀌었어
이 집을 지으면서 얼마나 고생했는데
안에 들어가 문만 잠그면
호랑이가 와도 끄떡없어

주섬주섬 짐을 풀고
밥을 짓고
소주 한잔 마시고
빼꼼히 내다보니
아무도 없네
에헤라디야

올 테면 와봐라
소주 한잔 더 마시고
에헤라디야

알고 보니 고라니였답니다
짝짓기 철엔
그런 소리를 내며 싸운다네요
이제는 그런 소리쯤
우습다네요

21
마하리쉬
침묵의 성자

살아서 죽음을 넘어서고
죽어서 영원히 사는
진정한 스승

마하리쉬
내 죽음의 위안이며
또한 삶의 위안

숲속 작은 집엔
책이 딱 한 권
"나는 누구인가"

22
어머니
일요일날 심심하면
숲속 작은집에 가실래요?

가서 상추도 심고
고추도 심고
개울물 소리 들으며
도시락도 까먹고

물소리 바람소리
실컷 듣다 오실래요?

23
형,
숲속에 오니까 참 좋네
그래 그러네

밤하늘에 별도 많고
물소리도 시원하고
그래 그러네

모닥불에
근심 걱정이 다 타버리고
물소리에
미련도 모두 흘러가 버리고
그래 그러네

근데 형은
왜 숲속에 오는 거야?
그냥 좋아서

24
가고 싶다
숲속의 작은 집

봄비 그친 후
낙엽이 삭는 내음새

키 작은 돌배나무
키 큰 상수리나무

돌 돌 돌 물소리
타닥 타닥 불꽃 소리

멀리서 들리는
고라니 울음소리

같이 갈래?
삼겹살 구워줄게

25
홀로임
세상 모두 작별하고 홀로임

두려움은
해질녘 어둠처럼 스며오고

외로움은
여름밤 모기처럼 달라들고

모두 다 사라진 자리에
깊고 깊은 고요

그리고
홀로임

26
숲속의 작은 집
좋기는 좋은가보다
벌레들마저
안으로 들어오려고
안간힘을 쓴다

이런 벌레
저런 벌레
쳐들어와 안나가고 버티다가
죽기도 부지기수

지난 여름엔
말벌인지 소벌인지
창틀 넘어 안쪽에다 집까지 지었다

나가라고!
조용히 좀 살자고!
싸우다 보면 조만간 정도 들겠지

27
대나무순을 닮으면 죽순봉
옥수수순을 닮으면 옥순봉?
아니, 옥처럼 멋지다고 옥순봉
옥택연이 삼시세끼 먹고 갔다고 옥순봉

단양이 먼저 같은데
정선이 먼저라고
서로 우기네

옥순봉 아래
숲속의 작은 집
삼겹살 구워 먹고
뜨끈한 방바닥에 드러누웠는데

이서진도 잭슨도 안보이고
우리 식구 잠자는 숨소리
새벽이 온다고 닭 우는 소리

28

알을 닮아 알바위
그 옆으로 이단폭포
폭포 아래 작은 둠벙

지난 여름 폭우에
둠벙이 넓어졌더라구요
두 배 씩이나

점심 먹던 바위도 사라지고
그 옆에 나무는
뿌리가 위태위태

알바위 이단폭포
작은 둠벙
내년에는 그대로 있을라나요

29
긴 가뭄에
알바위 이단폭포
보일동 말동

계곡물은
힘겹게 졸졸

그래도
내일 모레는
장마가 질 거라네

한더위 지나고
태풍도 올 거라네

비바람 몰아치면
연통 흔들려 부서질까봐
고정장치 붙여주고 돌아오는데

계곡물은 아직도
힘겹다고 졸졸

30
서울에 집 있는 사람은
아주 그냥 봉이다

사면 취득세
해마다 보유세
팔 땐 양도세

숲속의 작은 집
세금 받으러 오실래요?
감당할 수 있으시겠습니까?

목욕탕 만들어놓고 뒹구는 멧돼지
계곡 옆 바위에 또아리 튼 뱀
풀숲 어디서 날아올지 모르는 말벌
올 테면 와보시라구요

31
밤은
깊고 푸르다

푸르고 푸르러서
밤마다
가슴을 베인다

베인 가슴에
통증이 잦아질 때쯤
동이 터 온다

숲속 작은 집 창문 사이로
통증보다 강렬하게
동이 터 온다

32
알바위 이단폭포
작은 둠벙
바위에 앉아

바다의 깊이를 재러
바닷속으로 내려간
소금인형을 생각합니다

바닷물에 녹아버린 그것은
소금인형일까
아니면 바다일까

골똘히 골똘히
생각하다가
문득
배가 고파졌습니다

33
새벽엔
새들의 소란스런 노래소리
눈곱도 떼지 않은 채
듣고 싶다

해가 뜰 땐
동산 넘어 떠오르는 해에게
밤새 보고 싶었다고
잘 있었냐고
인사하고 싶다

해질 땐
서산에 걸린 노을을
하염없이
하염없이
바라보고 싶다

밤이 오면
작은 모닥불을 피워놓고
별을 바라보며
밤새워

밤새워
이야기하고 싶다

가고 싶다
숲속의 작은 집

34
살짝 무섭고
살짝 외롭고
많이 자유로운
그래 가자, 동 트거든
숲속의 작은집

35
어머니는 또
낯선 곳으로 떠나셨다

고추 심고
상추 심고
도라지 심던 그 봄에는
나랑 같이 가셨는데

이 봄에는
나 혼자 간다
숲속의 작은 집

36
오솔길 중간쯤
멧돼지 목욕탕

조금씩 넓어지고 깊어지더니
어라, 오늘은 아예 개축공사를 했네

조금 더 가니
새로운 목욕탕이 하나 더 신장개업

이 동네 목욕탕
장사가 잘 되나 보네

그래, 다 좋은데
마주치지만 말자

37
지난번 비바람이 가혹했던지
오솔길에 온통 부러진 나무들

길 내며 치우다 보니
멧돼지 목욕탕은 말짱하네

기다란 나무토막
툭 던져놓으며

이놈들 어쩌나 보자
씨익 웃는다

38
바람은
자기네들끼리만 논다
소나무 꼭대기에서
대나무 이파리에서

자기네들끼리만
장난치고 소곤대다가
가끔은 나한테도 오는데
아주 가끔씩만 온다

영원히 썸만 타는 연인처럼
애만 태우다가 흔적도 없이 사라지는
바람을 기다리며

숲속의 작은 집 처마 밑에는
바람이 온다고
바람이 온다고
작은 종 하나가
보초를 서고 있다

39
시가 그렇게
툭 씌여지는 것은 아니다

연필 들고
흰 종이 앞에 앉았다고

키보드에 손을 얹고
모니터 앞에 앉았다고

그렇게 아무렇게나
씌여지는 것은 아니다

재잘재잘 떠들며 흘러가는
물소리

지들끼리 뭐라뭐라 떠들어대는
바람소리

제멋대로 왔다가는
내 마음소리

하염없이 듣고 있다 보면
시는 그냥 툭
그렇게 씌여진다

40
시간이란 게
과거로부터 현재를 지나
미래로 간다고?

천만에, 시간이란 건
현재로부터 현재를 지나
현재로 가는 거란다

과거는 현재의 시체들일 뿐
미래는 현재의 재료들일 뿐
실재하는 건 오직 현재,
찰나의 연속만이 실재하는 거란다

그러므로
너는 항상 깨어있으라,
영겁이 모두
찰나 속에 담겨있나니

41
가을빛처럼 청량한
사랑은
그런 것이리라
온몸을 곤두세우는
찬란한 것이리라
상상하던 때가 있었다

하지만 그런 것은 없었다
대신
모닥불 처럼 따스한
가까이 있으면 떠나기 싫고
떠나면 곧바로 돌아오고 싶어지는
그런 사랑이 있었다

나의 숲속에는
작은 집이 있고
작은 모닥불이 있고
또 그런 사랑이
추억처럼
타닥 타 닥
타 고 있 다 . . .

42
평범한 날들
따분한 시간들
그런 작은 일상들이
실은 소중한 것임을

바람이 나뭇잎에 스치고
구름이 제멋대로 흐르고
그런 흔한 일상들이
실은 엄청난 신비임을

이 순간의 느낌은
억겁의 시간과도 바꿀 수 없는
살아있음 그 자체임을
이제는 알기에
더욱 소중하다

너는
살아있음 그 자체다,
숲속 작은 집에선
이런 것쯤
저절로 안다

43
미당도 가고
창식이 형도 가겠지만
눈이 부시게 푸르른 날은
아직 여기에 있네

당신이 가고
내가 가도
푸르른 날은
여전히 여기에 있겠지

삶의 한 자락
푸르른 날은 푸르르게
눈이 부시도록
푸르른 날은 푸르르게

44
Kim's cabin
좋네, 이름
이렇게 불러줄게

내년 봄에 데려가려고
제피나무에 빨간 목걸이 해주다가
문득 생각난 이름
김씨농막

톰 아저씨는
톰스캐빈에 살고
김씨 아저씨는
김스캐빈에 살고

45
2017년 4월 12일
김스캐빈이 태어난 날

여섯 명의 남자가
영차영차 떼 메고 오고

네 명의 남자가
뚝딱뚝딱 조립하고

한 명의 남자가
흐뭇하게 웃던 날

벌써 네 살이 되었네!
생일 축하해!

46

천만 원 드릴 테니 파세요
아니 오백만 원만 주세요
대신 여기서 고기는 먹지 마세요

숲속의 땅을 사던 날
흥정했던 이야기
채식주의 교수님
세상물정 무시한 이야기

교수님
여기서 고기는 안 먹어요
삼겹살만 먹는답니다

(김교수님께 다시 한번 감사드립니다.)

47
시간에게 나를 맞추느라
힘들었을 나에게
주는
작은 선물

물소리
새소리
바람소리

나에게 시간을 맞추는
숲속의 작은 집

48
생각했습니다
새는 참 자유롭겠다
마음대로 하늘을 날아다니니까

생각이 좀 자랐습니다
새도 자유롭지는 못하겠다
배고프면 먹어야 하고
새끼 낳으면 키워야 하니까

생각이 조금 더 자랐습니다
새는 그래도 자유롭겠다
자기가 자유로운지 그렇지 못한지
생각하지 않으니까

새는
우는 걸까요, 노래하는 걸까요
결국 모두 다
내 생각 아닐까요

제2부 ; 소치산방小癡山房

1
편백들이 지키고 서 있는
안개 숲을 지나서

폭포들이 행진하는
계곡 바위를 따라서

이제 한 걸음만 내딛으면
저기가 바로 무릉인데

세상 시름 다 잊는다는
무릉이 한 걸음 앞인데

차마 뒤돌아 섭니다
마지막 한 걸음 앞에서

당신을 잊지못해
못내 뒤돌아 섭니다

2

세상은 점점 어두워지고
무등산도 조금씩 사라지는데

마을에 불빛은 하나둘 켜지고
내 맘속에 불빛도 하나둘 켜지고

나 가는 날
마을에 불빛 하나 사라지듯
그렇게 사라져갈텐데

오늘 이 순간
하늘에 별빛 반짝거리듯
나도 따라 반짝거리네
별빛처럼 빛나네

3

며칠 전부터 우리 집 옆 숲속에 사는
때죽나무 한 넘이
우리 집 마당을 자꾸 기웃거리더니
비가 부슬부슬 내리던 어젯밤에
기어이 담을 넘어와 버렸네요.
혼쭐을 내서 쫓아낼까 하다가
우리 집 마당을 애정하는 녀석이 안쓰러워서
그냥 두기로 했습니다.
우리 집 마당에 식구가 되었으므로
이름을 지어야겠는데
담 넘어 온 때죽나무라서
담넘이라고 지어주었습니다.
녀석이 좋아라고
하얀 꽃을 한들한들 흔들며 좋아하데요.
아~참
지난밤에 우리 앞집 박사장님네 집에도
때죽나무 한 넘이 무단침입했다는 소문이 있던
데
사실인가요?
그넘은 무단침입했으니까
무단이인가요?

4

지난밤 새벽녘에
목이 말라 깨서 물을 마시고 밖을 내다보려고
안경을 찾는데 없는 겁니다.
아이 씨, 또 어따 둔거야, 짜증이 몰려왔습니다.
그냥 자려는데 잠은 점점 더 달아나고
그래서 안경을 찾아보려 했습니다.
내가 안경을 주로 놔두는 라디오 근처, 창문
옆,
그런 데는 아무리 찾아봐도 없는 겁니다.
잠은 이제 완전히 달아나고
정신이 또렷해졌습니다.
가끔 이런 일이 생기는데
그럴 때는 완전히 황당한 곳에서 안경을 찾기
도 합니다.
휴지통 속, 냉장고 안,
그래서 집안 전체를 샅샅이 돌아다녀 봤는데도
안경은 없었습니다.
어젯밤을 다시 생각해보니
분명 안경을 쓰고 횃불 등을 오랫동안 바라본
기억이 있습니다.
근데 창문을 연 채 잠깐 졸았던 것 같은 느낌

이 들었습니다.

아~ 산도깨비가 왔다 갔나 보다.

어제 자기 때죽나무를 몰래 훔쳐 갔다고 복수하러 왔다가

내가 창문을 열고 잠시 조는 사이를 노려 안경을 훔쳐 갔나 보다.

아~ 나쁜 산도깨비

아침이 밝아 밥을 챙겨 먹고

집안을 돌아다니다가 2층 창문 앞에 가는데

번개처럼 어떤 느낌적인 느낌이 들었습니다.

어젯밤에 여기 와서 잠깐 있었던 것 같았습니다.

그렇다면?

커텐을 제껴보니 대체나~

거기 딱 안경이 있는 겁니다.

이노무 산도깨비가

여기다 두고 갔군!

이제 나와 산도깨비 사이에는 빚이 없습니다.

5
자왈, 학이시습지면 불역열호아
공자께서 말씀하시기를, 배우고 때로 익히면 즐
겁지 아니한가

유붕이 자원방래면 불역열호아
벗이 있어 멀리서 찾아오면 또한 즐겁지 아니
한가

그리고 한 말씀 더 하셨습니다
유제친구 막토삼이면 불역열호아
이웃에 친구가 있어 마지막 토요일에 삼겹살을
같이 먹으면 또한 즐겁지 아니한가

10월초 쯤에 송이도 가기로 한 것
리마인드 부탁드립니다

* 유제친구 ; 서울 사투리로 번역하면, 이웃에
사는 친구

6

누워서 천정을 보다가
지루해지면 엎드려 방바닥을 봐요.
그것도 지루해지면 옆으로 누워 하늘을 봐요.
하늘을 보다가
산을 보다가
구름을 보다가
나무를 보다가
마당의 꽃을 보다가 문득
카라!
걸그룹 이름인줄만 알았더니
무척 예쁜 꽃 이름이었어요.
샛노란 드레스인데
앞은 약간 짧고 뒤는 약간 길어요.
딱 멋쟁이 아가씨예요.
카라가 멋쟁이 아가씨라면
후쿠시아는 기생이에요.
그저 그런 기생이 아니라
시와 노래와 살짝 짓는 미소로
얼빠진 양반님네 혼을 쏙 빼놓는
황진이 레벨의 기생
요즘 말로 셀럽, 그것도 특에이급

꽃나무
구름
산
하늘을 보다가
지루해지면 또 누워요.
새소리!
아~참! 잊고 있었네요.
오래전부터 고막을 간지럽히고 있는 게 있었는
데.
근데요?
새는 우는거에요? 노래하는거에요?
아~참!
바람도 있었네요.
아까부터 내 솜털들을 살짝살짝 흔들고 있었는
데,
근데요?
새는,,,새는,,,?
사알짝 졸립네요.
다시 옆으로 누워요.
내 배는 바다를 항해하는 배는 아니에요.
우주를 나르는 스페이스쉽도 아니구요,
시간을 항해하는 타임쉽이에요.

그렇다고
과거로 미래로 가는 건 아니에요.
그건 타임머신이고
제 배는 타임쉽
조용히 흘러가는 시간을 따라 항해하고 있어요.
찰라 찰라
끄샤나 끄샤나
ksana ksana
살짝 잠이 들었는데
내가 나비가 되어 하늘을 하늘하늘 날아요.
근데요?
내가 나비가 되어 하늘을 나는 건가요?
나비가 내가 되어 꿈을 꾸고 있는 건가요?
먼 옛날에 장아무개라는 사람도 그런 고민을
했다는데
그 후로 여러 개의 천년이 흘렀는데
나 김아무개도 지금 그런 고민을 살짝 해봐요.
타임쉽 *끄샤나*
TIMESHIP, KSANA
시간이 강물처럼 흘러요.
근데요?
나는 있는 걸까요? 없는 걸까요?

마하리쉬께서 그러시는데
나는 있는데 없는 거래요.
있는 나는 누구고
없는 나는 누구일까요?
있는 나가 진짜일까요?
없는 나가 진짜일까요?
졸려요.
시간이 강물처럼 흘러요.
타임쉽 끄샤나
누워서 천정을 보고 있어요.

7

새벽 6시 10분경

아직 어둡고 비가 시작되기 전인데,

잠이 깨서 바람 쐬러 마당에 나왔습니다.

우리 집 담장 옆 가로등이 있는 곳에서

정선생네 집 쪽을 한참 동안 바라보고 있는데

갑자기 부스럭거리는 소리가 들려서 보니

도로 끝, 김선생네 집과 우리 집 앞쪽에 체인으로 막아놓은 곳,

바위 옆에 한 남자가 서 있는 겁니다.

어둠 속에 사람이 한참 동안 인기척 없이 서 있었으니 깜짝 놀랐죠.

50~60 정도 되어 보이는 남자가 핸드폰을 들여다보고 있대요.

누구세요? 여기서 뭐 하세요?

두세 번 물었는데 아무 대답이 없이 핸드폰만 들여다봐요.

마치 귀머거리처럼.

대답도 않는데 더 묻기도 이상해서 그 사람을 바라만 봤어요.

아주 어색하고 이상한 상황이었어요.

그러더니 한참 후에 핸드폰으로 시끄러운 음악

하나를 틀고 한 곡을 다 듣더니 내려가는 거에
요.
우산을 들고 걸어가는 뒷모습이
오늘 비 올지 예보 통해 알고 산책 나온 사람
처럼 보이는 그 사람,
산책 왔다가 반환점에서 노래 한 곡 듣고 간
사람일까요?
아니면 우리 집을 훔쳐보고 있다가 딱 걸린 산
도깨비였을까요?

8
새들의 아침 교향곡
시간 ; 기상청 발표 일출시간 딱 40분 전
장소 ; 숲이 있는 곳이면 어디나

세상에서 가장 멋진 교향곡을 듣고 싶으시다면
기상청이 발표한 그 날의 일출시간보다 딱 40
분 전에 일어나시면 됩니다.
멋진 외출복으로 갈아입을 필요도 없고 잠옷
그대로,
추울 수도 있으므로 따뜻한 옷만 하나 더 위에
다 걸치고 마당으로 나서면 됩니다.
어디나 다 좋은데 다만 숲이 근처에 있어야 합
니다.
어둠의 세력들은 아직 물러가지 않고
빛은 아직 오지 않은 그 시간,
이제 곧 합창곡이 시작되므로 정신을 바짝 차
려야 합니다.
아~ 헛기침 정도는 아직 해도 좋습니다.
흠 흠
드디어 아주아주 미약한 빛이 비추기 시작합니
다. 막이 열린 겁니다.

조용하던 숲속에서 한 연주자가 교향곡의 시작을 알립니다.

동네마다 조금씩 다른데 우리 동네 연주자는 대개,

니가언제그래찌? 니가진짜그래찌?

이런 노래를 부르는 넘이 교향곡을 시작합니다.

따지기 좋아하는 넘인데 성질도 급해서

우리 동네에선 항상 이 녀석이 맨 먼저 시작하더라구요.

그리고 나면 여기 또는 저기서

천천히 연주들을 시작합니다.

찌빗끼 찌빗끼 하는 넘

키리키리요 꼬키리요 하는 넘

꾸우~꾸우~꾸!꾸! 하는 넘

휘, 휘, 휘, 휘이~~ 하는 넘

휘파람 소리로 흉내내기는 쉬운데 글자로 하자니 어렵네요, 그래도 한글이 가장 비슷하게 흉내낼 수 있어요. 세종대왕님께 감사!

쪽쪽쪽쪽쪽쪽쪽쪽쪽쪽쪽쪽

끝없이 뽀뽀하는 넘

수수께끼 수수께끼 수수께끼 수수께께끼

계속해서수수께끼를 내는 넘

휘이~ 휘이~

이 녀석들은 밤새도록 지네들끼리 휘파람으로 신호를 주고받더니 아직도 작전이 안 끝났나 봅니다.

아~참 그러고 보니 밤새 솥이 적다고 불평하던 녀석은 어디 갔는지 조용하네요.

솥 쩍다 솥 쩍다 하던 그넘이요.

시간이 지남에 따라 연주자들의 수도 늘어나고 점차 시끌시끌해집니다.

여기서 뻐꾹 저기서 뻐꾹,

이 넘은 나쁜 넘입니다.

남의 집에 몰래 새끼를 데려다 두고

잘 있는지 밤새 걱정하다가

아침이 되자 너 잘 있어?

너네 가짜엄마 가짜아빠가 잘 해줘?

그래도 내가 진짜 엄마야, 잊지 마!

진짜 나쁜 넘입니다.

꿩의 이름이 왜 꿩인지

이 녀석의 노래를 들어보면 금방 압니다.

꿩, 꿩, 푸드덕~

이 녀석은 잘 날지를 못해서

비행을 시작하는데 무척 힘이 드는 겁니다.

앞에 꿩, 꿩, 은 비행 직전 힘쓰는 소리
푸드덕~은 날개짓을 시작하는 소리입니다.
노래는 노랜데 일종의 노동요라고나 할까요.
이 소리 때문에 사람들이 이 녀석을 꿩이라 부르는 겁니다.
이때쯤 처음 연주를 시작했던 넘의 노래도 신명이 넘쳐납니다.
니가언제그래찌? 니가진짜그래찌? 찌? 찌? 찌?
끝에 후렴구 찌?를 세 번이나 반복합니다. 신이 난 겁니다.
교향곡은 대개 4악장인 거 아시죠?
모르신다구요? 풋! (비웃는 소리)
그건 사람들이 힘이 딸려서 중간중간에 쉬니까 그런 거구요,
새들은 힘이 넘쳐서 그런 거 없습니다.
그래서 새들의 아침 교향곡은 악장 구분 없이 단악장입니다.
아~ 이제 좀 지루해지네요.
그럴 때쯤 저~어~기서
꼬끼오~ 아침이오~
풋! 지도 새라고! (비웃는 소리)
이제 방으로 들어가야겠습니다.

어제 술이 좀 과해서 해장국이나 먹어야겠습니다.

앞집 박사장님, 괜찮으세요?

아~ 참 내일 아침에도 새들의 아침 교향곡 합니다.

언제라구요?

기상청 발표 일출시간 딱 40분 전에요.

9

저녁에 담양 집에 왔는데
마침 먹을게 별로 없더라구요,
근데 앞집에 비닐하우스가 눈에 띄어요, 대박~!
저긴 뭐가 있을까?
이야~~~! 상추 고추 당귀,,,
마침 주인도 없고 보는 사람도 없어서
사알짝 몇 개씩 따와서
맛있게 먹는 중이랍니다.
혹시 주인이 물어보거든 아무것도 모른다고 해
주세요.
그 아저씨 무섭거든요.

10

밤이었습니다.

마당에 혼자 서서 산으로 난 길을 바라보고 있었습니다.

가로등이 비추고 있는 산길을 따라 시선을 옮기다가,

멈칫, 저건 뭐지?

딱 사람만한 크기의 흰 물체가 산길 한가운데 서 있는 겁니다.

가로등이 약해져서 보일동 말동 한 거리에 서 있는 사람 크기의 흰 물체,

한참을 바라보는데 꼼짝도 않고 서서 나를 노려보고 있었습니다.

후레쉬 들고 가볼까 생각도 했지만,

산길이고 밤이고 나는 혼자고,

그냥 두자. 집 안으로 들어와 버렸습니다.

그러고도 한참 뒤, 다시 마당에 나가보니 여전히 그 거리에 서 있는 겁니다.

저건 분명 산도깨비다. 그러지 않고는 이 추운 겨울날 꼼짝도 않고 서있을 수는 없다.

그래 얼마나 버티나 보자.

내일 아침 동트면 보자. 흥.

그러고 집 안으로 들어와 자버렸습니다.

다음 날 아침 동이 트자마자 가보았습니다.

산도깨비는 간데없고, 하얀 억새풀 한 다발이 딱 사람 크기만 하게 서 있었습니다.

옛날이야기에, 밤새 씨름하던 사람이 아침이 되자 빗자루로 변하더라는 도깨비 이야기가 떠올랐습니다.

이 녀석도 밤새 나랑 눈싸움을 한 산도깨비였나 봅니다.

쪽재골에 오시거든 산도깨비를 조심하시기 바랍니다.

11

텃밭입니다.

바로 옆에 수돗가가 있고요.

오늘 오후

밖에 나갔다가 들어오는데

수돗가 물을 채워둔 대야에 새 한 마리가 있고,

그 옆 대야 테두리에 또 한 마리가 있는 겁니다.

애들 뭐지? 둘이 와서 한 놈이 먼저 목욕하고 있는 건가?

근데 자세히 보니

대야 물에 빠져 숨을 헐떡이는 새끼 새와

그걸 안타깝게 지켜보는 어미 새였습니다.

얼른 바가지로 새끼 새와 물까지 함께 퍼서

바로 옆 텃밭에 옮겨주었습니다.

새끼 새는 힘이 없는지 소리도 못 내고 입만 한두 번 쩍쩍 벌리더니

그대로 가만히 서 있는 겁니다.

한참이 지나도 여전히 작은 석상처럼 서 있었습니다.

지켜보다 지쳐서 방 안으로 들어와

가끔 창밖을 쳐다봐도

녀석은 여전히 석상처럼 서 있었습니다.

가끔 어미 새가 왔다가 가데요.

어미도 방법이 없었겠지요.

혹시 서서 죽었나?

가서 자세히 보니

작은 앞가슴에 심장이 뛰는 게 보입니다.

아~ 아직 살아있구나. 살아서 겨우 버티고 서 있구나.

오늘 밤 잠은 다 잤다.

밤에 비바람이 심하다고 예보하던데 저놈은 어쩌지?

밤새 비바람 속에서 죽겠지.

죽으면 내일 집 옆 언덕에 묻어줘야겠지?

그러고 한 십여 분

다른 일을 하다가 녀석이 있던 곳을 바라보니,

아~~~없네!

아이고, 하느님 부처님 도깨비님 감사합니다.

이놈 살려주셔서.

그러다 문득 한가지 생각~

진짜 그렇게 힘들어하던 녀석이 겨우 십여 분 사이에 하늘로 날아올라

어미 새 옆으로 갔을까?

날마다 마을 순찰을 도는 동네 고양이가 떠올랐습니다.

우리 마당도 그 녀석들 순찰 구역이거든요.

어쨌든 오늘 밤은 잠을 설치게 생겼습니다.

어미따라 나뭇가지 위로 갔을까?

고양이 뱃속에 있을까?

한참동안은

새끼 새가 있던 텃밭 저 자리를 보면

석상처럼 서서 힘겹게 힘겹게 숨을 고르던 녀석이 떠오를 것 같습니다.

12
화장실에 서서 오줌을 누려는데
마침 벌레 한 마리가 벌 벌 벌 오더니
내 왼쪽 신발 아래 그늘에 숨는다.

잠시 거기 있더니
내가 일을 마치기 전
다시 벌 벌 벌 내 오른쪽 신발 쪽으로 다가간
다.

일을 마치고
벌레가 오른발 밑에 숨기 전에
화장실을 나가다가 문득,

이 건물에서 나와 저 건물로 가서 숨는 나는?
돈오!
나와 벌레 사이에는 아무 차이도 없음.

13

어제 그제 수요일 날
교감선생님 박사장님하고
폭포에서 아주 재밌게 놀고 나서
다음 날 아침,
오른쪽 팔꿈치부터 어깨까지 두드러기가
장난 아니게 생겼네요~~
약 바르고 먹고 해도
가려움증은 통증보다 심해요~~
오늘 계곡에 다시 와서 자세히 보니
새 이파리가 두릅처럼 생긴 넘들이
지천이에요~~
참옻은 빨갛게, 나 건드리지 마라 하는데
개옻은 잘 구분이 어렵고
두릅같은데 이상하면 개옻이라는 말을 들은 적
이 있었거든요~~
그래서 이넘들 아주 처참하게 작살을 내줬습니
다.
이넘들 시체를 계곡 옆에 너덜너덜하게 널어놨
습니다.
원래 지들이 이 땅 주인이었다지만,
그래도 새로 이사 온 이웃인데

이런 짓을 해~
이넘들 담에 보시거든 손가락질을 해주세요,
나뿐 넘들~~~
아우~~가려워~~~

14

반지원정대는
악의 지배자 사르곤이 만든 절대반지를 깨부수
기 위해 먼 원정을 떠났답니다.
우리 대나무원정대는
절대대나무를 찾으러 원정을 갑니다.
먼 옛날, 세상이 시끄럽고 어지러워질 때마다
산속 깊숙이 살던 신선들이
인간세상에 몰래 내려와
마을에 절대대나무를 심어두고 가면
거기서 영험한 기운이 나와
세상이 평화로워지곤 했답니다.
그런데 사람들이 영악해져서
신선들에게 더 이상 고마워하지도 않고
심지어 신선이 없다고 믿는 자들이 많아지게
되자
신선들은 이 세상을 떠나
하늘나라로 돌아가 버렸다고 합니다.
하지만 혹시 나중에라도
절대대나무를 찾는 사람들이 있을까 봐
깊은 산중 사람이 살지 않는 곳에
절대대나무를 남겨 두고 떠났답니다.

우리 대나무원정대는
바로 이 절대대나무를 찾으러갑니다.
코로나 팬데믹,
우크라이나 전쟁,
세상에 가득 찬 악의 기운을 물리칠
절대대나무를 찾아서,,,
* 9시30분, 우리 집 계곡쪽 데크에서 출발합니
다.

15

쪽빛마을 찬가

세상 어디서나 해는 뜨기 마련인데
치알봉의 하늘은 새벽부터 서둘러
아침노을 발갛게 달아오른다

나는 여기 앉고 무등산은 저기 앉고
둘이 마주 앉아 썸을 타는 중인데
쪽빛 하늘이 내려다보고 빙그레레 웃는다

하루에 지친 해는
삼인산 넘어 한재골로 자러 가고
하늘엔 별빛이 하나둘
마을엔 불빛이 셋 넷 다섯

세상 어디서나 해는 지기 마련인데
쪽빛마을의 저녁은
시작부터 깊고 깊다

제3부 ; 노자의 길道

1

아무도 가본 적 없는 땅이었다.
길道이 없는 땅이었다.
한걸음 천걸음 만걸음
걷다가 뒤돌아보니
길이 생겨있었다.
길은 없는 걸까?
길은 있는 걸까?
백 년쯤 흐르고 와서 다시 보니
아무 흔적도 없는 땅
길도 없는 땅이었다.
길은 없다가 있는 걸까?
길은 있다가 없는 걸까?

2
한 걸음을 내디뎠다
그것도 길이었다
천 걸음을 걸었다
그것도 길이었다
만 걸음에서 멈춰 섰다
그것도 길이었다
그렇다면 길은
첫 걸음인가 천 걸음인가 만 걸음인가
모두 다 길인가
길은 어디에 있는가

3

눈밭을 걸어 뒤돌아보니
눈 위에 발자국이 찍혀 있었다
이것은 이름이 없었다
내가 이것을 길道이라고 불러주었다
이것은 이제 이름이 있다
이름이 없었던 이것과
이름이 있는 이것은
서로 다른 것인가
내가 이름을 붙여주기 전에는
이름이 없던 이것이
내가 보고 나서 이름을 붙여주자
이름이 있다
이름이 없었던 이것과
이름이 있는 이것은
서로 같은 것인가

4
이름이 없던 이것
이것이 원래 천지의 모습이다
내가 보고 이름을 붙여준 이것
이것이 내가 아는 천지의 모습이다
원래의 천지와 내가 아는 천지는
서로 같은 것인가
내가 아는 천지와 원래의 천지는
서로 다른 것인가

5

길이라고 하는 길은
항상 같은 길이 아니다
이름 붙여 아는 이것은
항상 같은 이것이 아니다
길은 없다가 있는 것이며
길은 있다가 없는 것이다
길은 그냥 있는 것이며
길은 내가 보아 아는 것이다
길은 내가 보면 이런 이름이고
길은 다른 이가 보면 다른 이름이다
그렇다고 두 길이
서로 다른 것이 아니다
그래서 내가 이것을
길道이라고 하였다
2023.03.16. 少子